# Os gatos de Copenhague
## *James Joyce*

**ILUSTRAÇÕES:** MICHAELLA PIVETTI

**TRADUÇÃO E POSFÁCIO:** DIRCE WALTRICK DO AMARANTE

TEM MONTES E MONTES DE PEIXES E DE BICICLETAS, MAS NÃO TEM GATOS.

TAMBÉM NÃO TEM POLICIAIS.

TODOS OS POLICIAIS
DINAMARQUESES PASSAM O DIA
EM CASA, NA CAMA.

ELES FUMAM CHARUTOS
DINAMARQUESES E BEBEM LEITE
MAGRO[2] O DIA INTEIRO.

[2] EM INGLÊS *BUTTERMILK*, QUE SIGNIFICA LEITELHO.

TEM MONTES E MONTES

DE GAROTOS DE VERMELHO INDO

E VINDO DE BICICLETA O DIA INTEIRO,

COM TELEGRAMAS E CARTAS

E CARTÕES-POSTAIS.

E SÃO TODOS PARA OS POLICIAIS, ENVIADOS POR SENHORAS QUE QUEREM ATRAVESSAR A RUA;

POR MENINOS QUE ESTÃO ESCREVENDO PARA CASA, PEDINDO MAIS DOCES;

OS POLICIAIS LEEM TUDO NA CAMA,
FUMANDO O TEMPO TODO E BEBENDO
LEITE MAGRO.

E ENTÃO ELES DÃO SUAS ORDENS.
E OS GAROTOS DE VERMELHO
VOLTAM E DIZEM PARA TODO MUNDO
EXATAMENTE O QUE FAZER.

QUANDO EU RETORNAR
A COPENHAGUE, TRAREI
COMIGO UM GATO E MOSTRAREI
AOS DINAMARQUESES COMO ELE SABE
ATRAVESSAR A RUA SEM NENHUMA INSTRUÇÃO
DE UM POLICIAL.

E SERÁ BEM MAIS BARATO

(PENSE NISSO!) UM GATO

LHES MOSTRAR O QUE FAZER.

IMAGINE SÓ UM GATO NA CAMA

O DIA INTEIRO FUMANDO CHARUTOS!

E QUANTO AO LEITE MAGRO ENTÃO!

NENHUM GATO BEBERIA ISSO DE JEITO NENHUM.

E TEM TAMBÉM UM MONTE DE PEIXES PARA ELES.

O QUE VOCÊ ACHA DISSO?

TI ABBRACCIO.[3] BOBBO'S BOBBO[4]

[3] TE ABRAÇO.
[4] PAIZINHO DO PAPAI, SEGUNDO SUGESTÃO DA TRADUTORA AURORA BERNARDINI.

POSFÁCIO

*DIRCE WALTRICK DO AMARANTE*

**JAMES JOYCE** (1882-1941) NASCEU EM RATHGAR, SUBÚRBIO DE DUBLIN, NA IRLANDA. É CONSIDERADO UM DOS MAIORES ESCRITORES DE TODOS OS TEMPOS. ESCREVEU ROMANCES (*ULISSES* É O MAIS FAMOSO DELES), POEMAS, ENSAIOS, PEÇAS DE TEATRO ETC.

CASOU-SE COM UMA IRLANDESA, NORA BARNACLE, COM QUEM TEVE DOIS FILHOS: GIORGIO E LUCIA, NASCIDOS NA ITÁLIA, ONDE O CASAL VIVEU DURANTE LONGOS ANOS. GIORGIO LHE DEU SEU ÚNICO NETO, STEPHEN JAMES JOYCE, PARA QUEM O AVÔ ESCREVEU DOIS CONTOS, ALÉM DE TER-LHE NARRADO VÁRIOS OUTROS.

OS DOIS CONTOS QUE JOYCE ESCREVEU PARA O NETO FORAM ENVIADOS POR CARTAS; A PRIMEIRA CONTINHA *O GATO E O DIABO* (PUBLICADO PELA ILUMINURAS), E FOI ESCRITA EM VILLERS-SUR-MER, FRANÇA, EM 10 DE AGOSTO DE 1936.

DEPOIS DA ESTADA NA FRANÇA, JAMES JOYCE RESOLVEU IR A COPENHAGUE. JOYCE QUERIA PRATICAR SEU DINAMARQUÊS E COLHER INFORMAÇÕES PARA COMPOR UM PERSONAGEM DE ORIGEM ESCANDINAVA, CHAMADO EARWICKER, QUE APARECE NO SEU ROMANCE *FINNEGANS WAKE*, PUBLICADO EM 1939.

DE COPENHAGUE, JOYCE ENVIOU, EM 5 DE SETEMBRO DE 1936, OUTRA CARTA PARA O NETO, QUE TRAZIA O CONTO *OS GATOS DE COPENHAGUE* QUE NÃO É UMA CONTINUAÇÃO DE *O GATO E O DIABO*, EMBORA AS DUAS HISTÓRIAS TENHAM GATOS COMO PERSONAGENS.

*OS GATOS DE COPENHAGUE* É UM CONVITE PARA AS CRIANÇAS COMEÇAREM A CONHECER A OBRA DESTE ESCRITOR FASCINANTE.

*PARA MEUS GATOS: SÉRGIO, BRUNO NAPOLEÃO E HANNA*
**DIRCE**

*PARA JOANA E AURORA, E PARA TODAS AS CRIANÇAS QUE ENCONTRAREM ESTE LIVRO*
**MICHAELLA**

### DIRCE WALTRICK DO AMARANTE

NASCEU EM FLORIANÓPOLIS. É MÃE DE BRUNO NAPOLEÃO, PARA QUEM TRADUZIU ESTE CONTO DO ESCRITOR IRLANDÊS. AUTORA DE *PARA LER 'FINNEGANS WAKE'* DE JAMES JOYCE E *AS ANTENAS DO CARACOL: NOTAS SOBRE LITERATURA INFANTOJUVENIL*. COORGANIZOU E COTRADUZIU, COM SEU MARIDO SÉRGIO MEDEIROS, UMA ANTOLOGIA DE ENSAIOS DE JAMES JOYCE, *DE SANTOS E SÁBIOS*, E AS CARTAS DE JOYCE A NORA (*CARTAS A NORA*). TRADUZIU TAMBÉM *O GATO E O DIABO*, DE JAMES JOYCE, TODOS PUBLICADOS PELA ILUMINURAS. É PROFESSORA NA UNIVERSIDADE FEDERAL DE SANTA CATARINA.

### MICHAELLA PIVETTI

NASCEU NA ITÁLIA, ONDE BRINCOU, DESENHOU MUITO E CRESCEU AO LADO DOS SEUS PAIS. É DESIGNER GRÁFICA E FAZ PROJETOS PARA JORNAIS, REVISTAS E LIVROS. TEM MESTRADO EM CIÊNCIAS DA COMUNICAÇÃO PELA USP E DÁ AULA DE JORNALISMO GRÁFICO EM UNIVERSIDADES. AGORA VOLTOU A DESENHAR (ESSE É SEU SEGUNDO LIVRO!) E GOSTA TAMBÉM DE FAZER PROJETOS PARA EXPOSIÇÕES DE ARTE.

**livros da ilha**
**ILUMINURAS**

**Copyright © 2013 da tradução**
Dirce Waltrick do Amarante

**Copyright © 2013 das ilustrações**
Michaella Pivetti

**Copyright © desta edição**
Editora Iluminuras Ltda.

**Projeto gráfico e capa**
Michaella Pivetti

**Revisão**
Jane Pessoa
Bruno Silva D'Abruzzo

**Reproduções fotográficas**
Norian Segatto

**Tratamento de imagens**
mp design gráfico

2013
Editora Iluminuras Ltda.
Rua Inácio Pereira da Rocha, 389
05432-011 São Paulo Brasil
Tel./Fax: 55 11 3031 6161
iluminuras@iluminuras.com.br
www.iluminuras.com.br

---

CIP-BRASIL CATALOGAÇÃO-NA-FONTE
SINDICATO NACIONAL DOS EDITORES DE LIVROS, RJ

J79g

  Joyce, James, 1882-1941
    Os gatos de compenhague / James Joyce ; ilustração Michaella Pivetti ; tradução Dirce Waltrick do Amarante. - 1. ed. - São Paulo : Iluminuras, 2013.
    24 p. : il. ; 22 cm

  Tradução de: The cats of Copenhague
  ISBN 978-85-7321-411-6

    1. Conto infantojuvenil irlandês. I. Pivetti, Michaella. II. Amarante, Dirce Waltrick do. III. Título.

13-00025            CDD: 028.5
                    CDU: 087.5
10/04/2013     22/04/2013

---

*O TÍTULO DO CONTO NÃO FOI DADO POR JOYCE, MAS POR SEUS EDITORES DE LÍNGUA INGLESA.